MORVAN   OOSHIMA

Crime School

1

La rentrée des crasses

DARGAUD
BENELUX

De grands mercis, dans l'ordre chronologique à :
Amano-San pour m'avoir fait rencontrer Hiroyuki,
à Tibo pour l'avoir aiguillé vers la France,
à Jocelyn pour lui avoir permis d'y rester
et à Fr pour l'y avoir installé,
et au 510 pour l'avoir acceuilli.
JD

Je tiens à remercier Jocelyn
et tous mes amis.
HIROYUKI

Lettrage : Eric Montésinos

www.dargaud.com

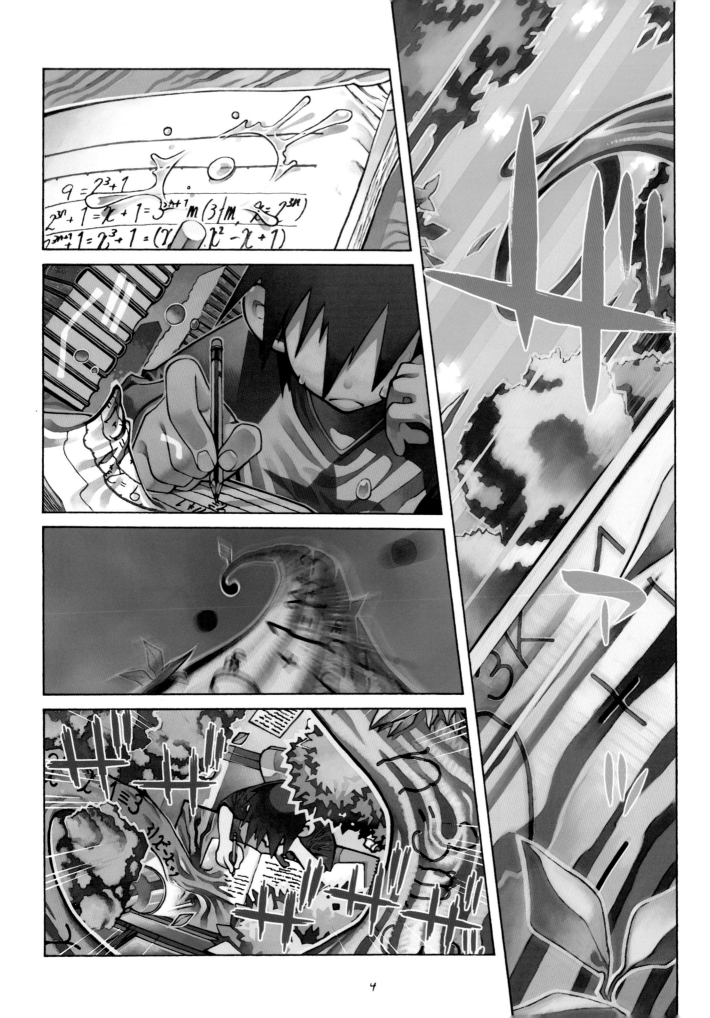

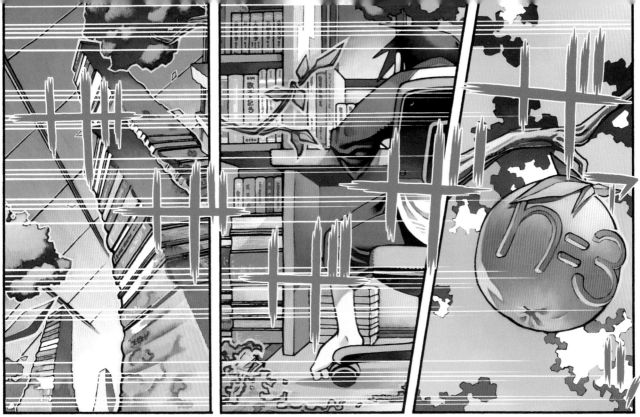

LE VOILÀ, MON RÉSULTAT !!!

OUBLIE UN PEU TES MATHÉMATIQUES, MON FILS...

... ET REJOINS-MOI...

VIENS !

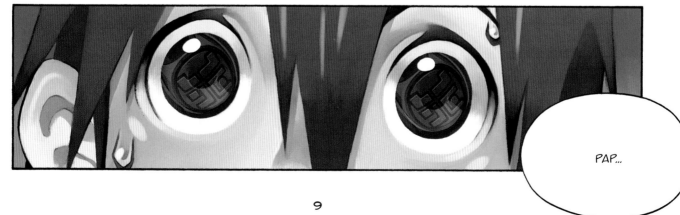

PAP...

QUEL CAUCHEMAR...!

HEUREUSE-MENT...

... IL AVAIT QUAND MÊME UN BON CÔTÉ.

J'AI MA SOLUCE !!

ET J'AI ENCORE LE TEMPS DE FINIR !!

VÎTE !!

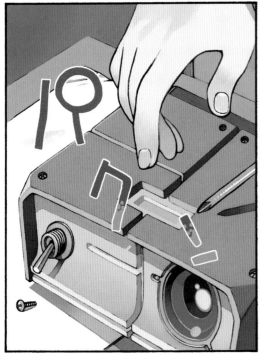

AHHH !

ÇA VA LUI FAIRE PLAISIR.

TOMOKi, MON CHÉRi...

C'EST TRÈS MIGNON, MAIS TU N'AURAIS PAS DÛ.

C'EST À MOi DE TE...

JE SAiS QUE TU AS TRAVAiLLÉ TARD, MAMAN.

iL FAUT QUE TU TE REPOSES.

MAiS BiENTÔT JE NE SERAi PLUS LÃ POUR T'AiDER.

ALLONS, MON PETIT !

C'EST UNE CHANCE QUE TU PUISSES FAIRE CETTE ÉCOLE.

ET PUIS MATSUP OFFRE TELLEMENT PEU DE BOURSES QU'ON NE POUVAIT PAS DIFFÉRER D'UN AN.

JE SAIS, MAIS...

ALLEZ, ALLEZ ! UN PEU DE COURAGE, MON GRAND.

ON SE VERRA AUX GRANDES VACANCES.

Vii...

ATTENDS, M'MAN !

J'AI OUBLIÉ MA CALCULATRICE PRÉFÉRÉE !

ON VA RATER LE BUS POUR LE PORT...

AVANCE, JE TE RATTRAPERAI EN COURANT !!

ET JE FERMERAI LA PORTE À CLÉ.

TU SAIS QUE JE SUIS QUELQU'UN DE RESPONSABLE...

FAIS VITE, MON CHÉRI.

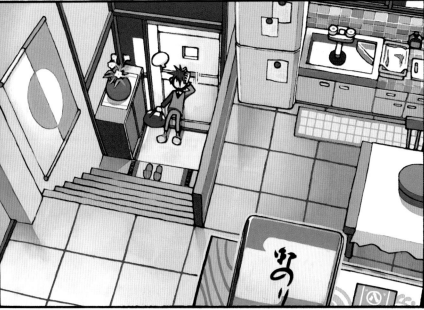

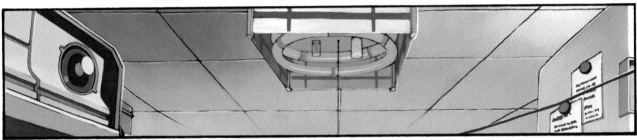

TOMOKI TUCHIYA ?

NON, ÇA, C'EST LE NOM DE MON PÈRE.

MOI, JE PORTE CELUI DE MA MÈRE : KAWAÏ.

EUH... C'EST UNE ERREUR...

SOIS PRUDENT, MON FILS !

DÉPÊCHEZ-VOUS, ON PREND LA MER DE SUITE !!

T'INQUIÈTE PAS POUR MOI, MAMAN !

C'EST LE GENRE D'ÉCOLE BIEN FRÉQUENTÉE !

MAIS...
OÙ EST-IL ALLÉ
PÊCHER LE NOM
DE...

... MON
EX-MARI, LUI,
AU FAIT ?

LES AUTRES ÉLÈVES
VOUS ATTENDENT
DANS LA SALLE
DU BAS.

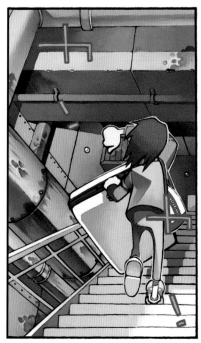

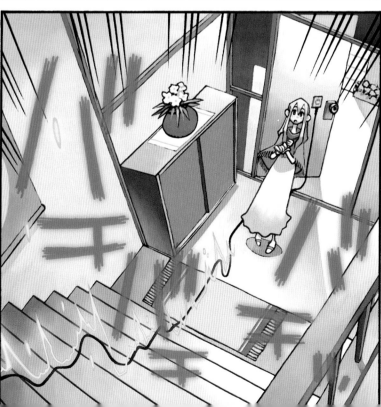

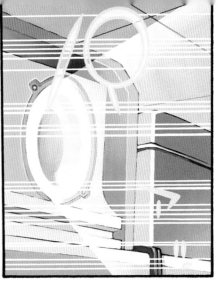

JE T'AIME, MAMAN.

JE T'EMPRUNTE TA BELLE CRAVATE...

BAH ! DE TOUTE FAÇON, JE SAIS PAS FAIRE LES NŒUDS.

ARRÊTEZ, S'IL VOUS PLAÎT...

MAMAN A ÉCONOMISÉ PENDANT UN AN POUR ME PAYER CE COSTUME.

ELLE AURAIT MIEUX FAIT DE LE VOLER, ÇA AURAIT ÉTÉ PLUS VITE FAIT...

UN PEU CRUCHE, TA REUM.

JE TE DÉFENDS DE PARLER DE MAMAN COMME ÇA...

OH ! LE PAUVRE FRELUQUET. JE CROIS QU'IL EST UN PEU TOMBÉ ET QU'IL EST BEAUCOUP DANS LES POMMES.

ON N'EN PROFITERAIT PAS LÂCHEMENT, SI ON ÉTAIT DES GAMINS BIEN ÉLEVÉS ?

PAR CHANCE, ON A EU DES PARENTS EN DESSOUS DE TOUT !!

MON...

MONSIEUR...

... DES ÉLÈVES M'ONT TOTALEMENT DÉPOUILLÉ !!

VOUS ALLEZ ME LES DÉSIGNER !

C'EST LUI QUI A COMMENCÉ !

LUI L'A AIDÉ EN ME TENANT.

ET EUX TOUS LÀ, ILS EN ONT PROFITÉ POUR ME VOLER DES AFFAIRES !

ILS NE LES CACHENT MÊME PAS, VOUS VOYEZ ?!!

CEUX QUI ONT PARTICIPÉ À CE RACKET COMMENCENT BIEN L'ANNÉE.

AVEC MENTION SPÉCIALE POUR LE LEADER...

VOUS IREZ RETIRER VOS POINTS BONUS AU SECRÉTARIAT DE L'ÉCOLE, UNE FOIS QUE NOUS SERONS SUR L'ÎLE.

ILS VOUS DONNERONT ACCÈS À DE NOMBREUX AVANTAGES.

MAIS VOUS... VOUS LES RÉCOMPENSEZ LÀ ?!!

POURQUOI, TU T'ATTENDAIS À AUTRE CHOSE ?!

SI TU ES LÀ, C'EST QUE TU AS PASSÉ LE CONCOURS.

TU SAVAIS DONC À QUOI T'ATTENDRE...

POUR N'AVOIR PAS SU TE DÉFENDRE SEUL ET AVOIR DÉNONCÉ TES CAMARADES, TU ÉCOPES DE TROIS MINUTES DE RETARD POUR LE PREMIER MONTÉ EN CHAMBRE.

POUR L'INSTANT, ÇA NE TE PARAÎT PAS TRÈS GRAVE...

MAIS TU COMPRENDRAS VITE L'AMPLEUR DE LA PUNITION !

OUI, TRÈS PROMETTEURS...

IL Y A QUELQUES FORT BONS ÉLÉMENTS CETTE ANNÉE, J'AI L'IMPRESSION.

ET AUSSI, BIEN SÛR, LE CORTÈGE DES LOOSERS...

INÉVITABLE.

NE VENDONS PAS LA PEAU DE L'OURS AVANT DE L'AVOIR VOLÉE...

VOUS SAVEZ QUE PARFOIS...

QUEL DRÔLE D'ENDROIT TOUT DE MÊME...

ÇA NE RESSEMBLE VRAIMENT PAS À L'ÉCOLE DE SCIENCES À LAQUELLE MAMAN M'A INSCRIT...

QU'EST-CE QUE C'EST QUE CES ALIGNEMENTS APPROXIMATIFS ?!!

HÉ ! TOI LÀ-BAS !!

PARFAIT !! JE VAIS MAINTENANT VOUS PRÉSENTER VOS ENSEIGNANTS.

VOICI **STRUPPEN**, QUI SERA VOTRE PROFESSEUR DE COMBAT.

SPÉCIALISTE EN CLOSE COMBAT...

VOICI **NJOUTSOU**, QUI SERA VOTRE PROFESSEUR DE TECHNIQUES NINJAS.

... ET EN ARMEMENTS.

SPÉCIALISTE EN CAMOUFLAGE...

... ET EN ATTAQUES SURPRISES.

VOICI COSPLÈNE, QUI SERA VOTRE PROFESSEUR DE TRICHERIE.

SPÉCIALISTE EN DÉGUISEMENTS...

... ET EN ESCROQUERIES EN TOUT GENRE.

J'AI MÊME RÉUSSI À LUI FAIRE CROIRE QUE J'ÉTAIS VRAIMENT PROF...

VOICI CONVICIOUS, QUI SERA VOTRE PROFESSEUR DE FOURBERIES ET D'EXTRACTION D'INFORMATIONS.

SPÉCIALISTE EN PICKPOCKETTERIE...

... ET EN TORTURES PSYCHIQUE ET PHYSIQUE.

MAIS CE N'EST PAS LA PEINE DE FAIRE DE DÉMONSTRATION !!

CE QUI EST FAIT N'ÉTANT PLUS À FAIRE, VOUS DEVEZ ÊTRE AFFAMÉS...

LA CANTINE OUVRIRA DANS UNE MINUTE. LES PREMIERS ARRIVÉS SERONT, BIEN ENTENDU, LES MIEUX SERVIS.

MERCI POUR VOS DÉMONSTRATIONS, MADAME, MESSIEURS, C'ÉTAIT PARFAIT...

MAIS L'AN PROCHAIN, MERCI DE METTRE UN BÉMOL À VOS CAPACITÉS.

MONSIEUR LE DIRECTEUR, S'IL VOUS PLAÎT...

TU N'AS PAS FAIM, TOI ?

SI, BIEN SÛR, MAIS IL Y A PLUS IMPORTANT.

CAR J'AI L'IMPRESSION QUE JE N'AI RIEN À FAIRE DANS VOTRE ÉTABLISSEMENT.

EN EFFET.

TU N'AS L'AIR NI MENTEUR, NI MANIPULATEUR, NI MÉCHANT, NI VIOLENT, NI MÊME VICIEUX.

TU N'AS DONC PAS LA MOINDRE CHANCE DE RÉUSSIR ICI.

AH NON !
CE N'EST PAS
UNE ERREUR...

I'm an evil man!

TU ES BIEN
INSCRIT SUR
MES LISTES.

PAR MA MAMAN ?

IL N'Y A PAS DE NOM SOUS CETTE
RUBRIQUE. MAIS IL EST INDIQUÉ
QUE LE PAQUEBOT DEVAIT FAIRE
UN LONG DÉTOUR POUR PASSER
TE CHERCHER SEUL,
SUR TON ÎLE.

JE... EN QUELQUE SORTE,
ON PEUT DIRE QUE J'ÉTAIS
MYSTÉRIEUSEMENT
PRIORITAIRE ?

CERTES.

ET, DE TOUTE FAÇON,
UNE FOIS ENTRÉ ICI, PERSONNE N'EST
AUTORISÉ À REPARTIR.

ALORS,
SI JE N'ÉTAIS PAS
LE PIRE DES MÉCHANTS
DE CETTE ÉCOLE,
JE SERAIS DÉSOLÉ
POUR TOI...

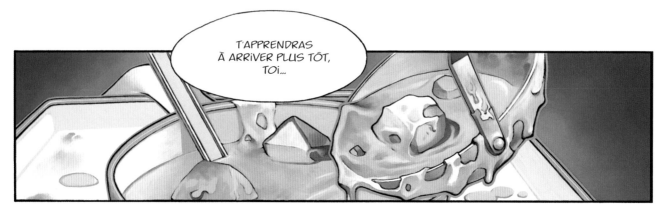

HÉ ! VOUS AUTRES !!

VOUS NE TROUVEZ PAS QUE NOTRE AMI EST UN PEU TROP CLEAN, SOUDAINEMENT ?

JE VOUS LAISSE ARRANGER ÇA !!

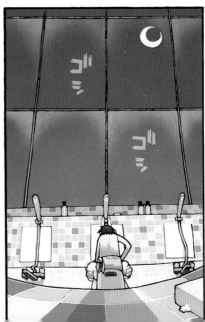

TOMOKI...

?!!

IL VAUT MIEUX
QUE TU NE ME
VOIES PAS.

ET NE DIS RIEN.

ÉCOUTE-MOI SEULEMENT.
JE NE SERAI PAS LONG.

NON, MAIS...

... ON NE PEUT PAS ÉCOUTER DU HARDCORE EN PAIX ICI ?

ENCORE TOI, TOMOKI...

JE T'AVAIS ORDONNÉ DE GARDER LA CHAMBRE, COMME UN PETIT PLANTON BIEN SERVILE, ET TOI, TU QUITTES TON POSTE.

TU MÉRITES UNE PUNITION...

ÇA NE T'A PAS SUFFI CE QU'ON T'A MIS TOUT À L'HEURE ? À CROIRE QUE TU Y PRENDS GOÛT...

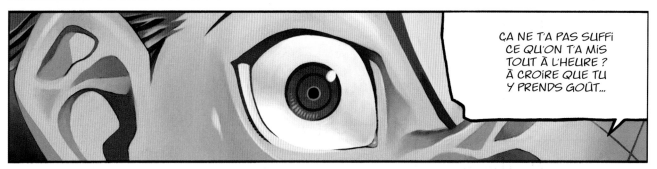

HARO SUR LE DÉSERTEUR !!

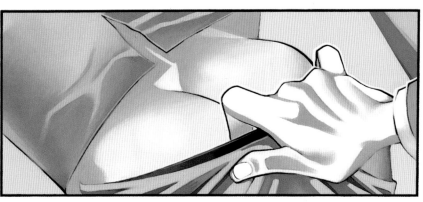

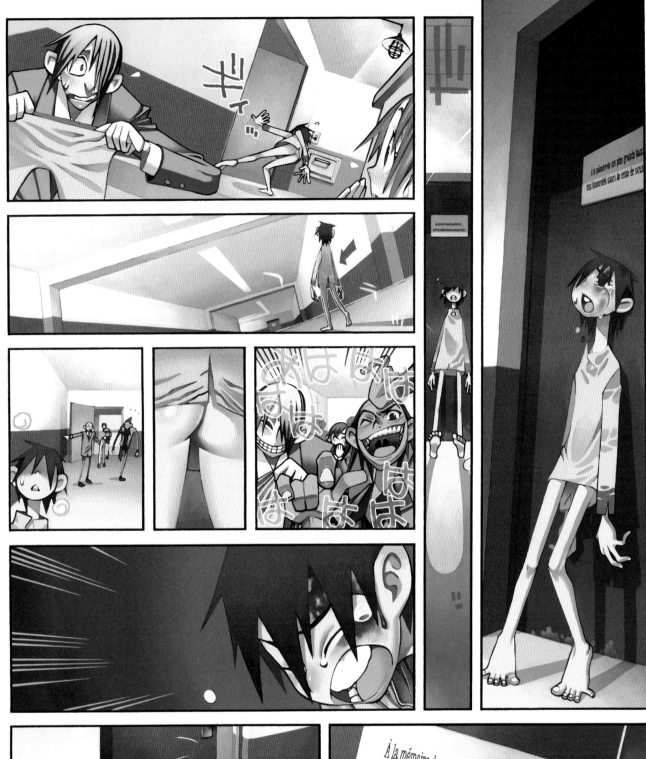

À la mémoire de nos plus grands bandits,
dont l'immoralité n'aura de cesse de nous inspirer.

Goemon Ishikawa

Jack the Ripper

Arsène

Sandi

Raspoutine

TU AS BEAU T'ENFERMER, TU NE T'EN SORTIRAS PAS.

TU NE FAIS QUE REPOUSSER L'ÉCHÉANCE FATALE !!!

53

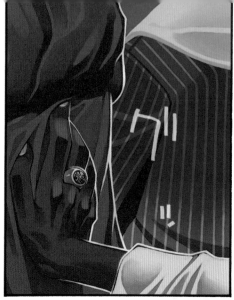

UNE
ÉQUATION ?

HUM !
INTÉRESSANT...

Pi Pi
Pi Pi
Pi

ASSEZ COMPLEXE...

ENFIN BON,
POUR QUELQU'UN
D'AUTRE QUE MOI...

Pi

A=953

CORRECT

SURPRIS, MONSIEUR LE PETIT CHEF ?...

JE NE SUIS PAS CONTENT DE TOI.

HRRMM ?

ENFIN SI... TRÈS FIER QUE TU AIES SU RÉSOUDRE L'ÉQUATION POUR OUVRIR LE CRIMESOUL.

ÇA VEUT DIRE QUE TU N'AURAS PAS DE PROBLÈME AVEC LES AUTRES.

LES AUTRES ?

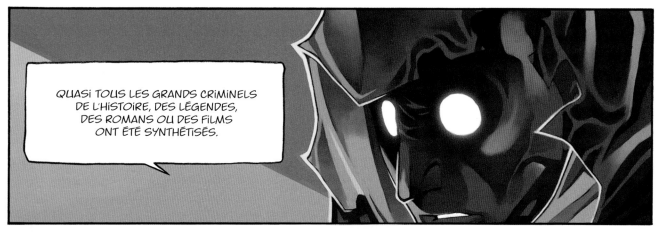

QUASI TOUS LES GRANDS CRIMINELS DE L'HISTOIRE, DES LÉGENDES, DES ROMANS OU DES FILMS ONT ÉTÉ SYNTHÉTISÉS.

ET ILS SONT CONTENUS DANS UN CRIMESOUL QUI LES TRANSFÈRE DANS LA PERSONNE QUI PARVIENT À L'OUVRIR.

CES CRIMESOULS-LÀ, ILS SONT DANS LE MUSÉE ?

NON, C'ÉTAIT LE SEUL DANS L'ÉCOLE DU CRIME. LES AUTRES ONT HEUREUSEMENT ÉTÉ ÉPARPILLÉS DANS LE MONDE.

TA MISSION SERA DE LES RETROUVER AVANT EUX.

EUX QUI ?

LE PLUS GRAND CRIMINEL DE TOUS LES TEMPS ! INARRÊTABLE !

CEUX QUI DÉSIRENT CRÉER UN CRIMINEL ULTIME, EN LUI INJECTANT TOUS LES CRIMESOULS.

QU'EST-CE QUE C'EST QUE CETTE HISTOIRE ?

TU EN APPRENDRAS PLUS AU FIL DU TEMPS.

TU DOIS JUSTE SAVOIR QUE TU N'ES PAS ICI PAR HASARD.

IL VA TE FALLOIR SUIVRE LE CURSUS ET EN MÊME TEMPS RETROUVER LES CRIMESOULS.

MAIS SANS JAMAIS UTILISER LEUR POUVOIR. CAR, À LA LONGUE, ÇA FINIRAIT PAR TE PERVERTIR.

ET TU DOIS RESTER PUR, AFIN DE NE PAS DÉCEVOIR TA MÈRE.

ÇA, JAMAIS JE NE LE FERAI !

TU ME LE PROMETS ?

SUR MA TÊTE, MONSIEUR...

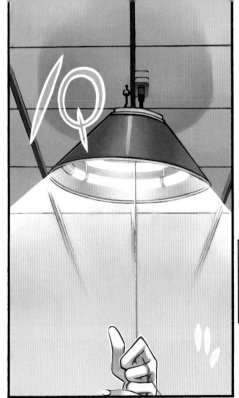

MON PETIT TOMOKI CHÉRI.

JE VIENS DE FINIR MON TRAVAIL DE NUIT. J'AI BEAUCOUP PENSÉ À TOI ET J'ESPÈRE QUE TON VOYAGE ET TA RENTRÉE SE SONT BIEN PASSÉS.

JE SUIS SÛRE QUE CETTE ÉCOLE DE MATHÉMATIQUES TE PERMETTRA DE PROGRESSER ET QUE TU SORTIRAS MAJEUR DE TA PROMOTION.

JE PENSE À TOI ET T'ÉCRIRAI TOUS LES JOURS.

TA MAMAN QUI T'AIME.